KB096273

책, 술, 사람 좋아하는

술꾼백수

「동 백」

책, 술, 사람 좋아하는 술꾼백수

발　행 | 2024년 05월 30일
저　자 | 동 백
펴낸이 | 한건희
펴낸곳 | 주식회사 부크크
출판사등록 | 2014.07.15.(제2014-16호)
주　소 | 서울특별시 금천구 가산디지털1로 119 SK트윈타워 A동 305호
전　화 | 1670-8316
이메일 | info@bookk.co.kr

ISBN | 979-11-410-8533-9

책, 술, 사람 좋아하는

술꾼백수

「동 백」

차 례

프롤로그

쓰는 사람, 동백.
이해인 수녀님의 <필 때도 질 때도 동백꽃처럼>을 읽으며,
겨울 제주에서 흐드러진 동백꽃들을 만나며,
'동백'처럼 꿋꿋하게 피어나는 사람이 되고 싶었다.

대구의 장애인 인권 단체에서 13년 활동했고, 23년 11월
활동을 멈추었다. 익숙한 곳을 벗어나 낯선 곳에서 새로운
사람들을 만나며 새로운 일상을 살아가고 있다.

백수의 이름으로 아는 사람들과 또는 낯선 사람들과 느슨하
게 연결되어 새로운 자신을 발견하고 있다.

동료에서 친구로, 두 달간의 글쓰기클럽, 경주와 제주 여행,
커피 수업, 그림 수업, 명상 모임 등.
나와 나를 둘러싼 인연에 관한 6개월간의 이야기.

책, 술, 사람 좋아하는 백수의 일상을 들여다본다.

우리의 삶은 지금도 흐른다.

　　술꾼백수

꽃다발 같은 인생

2002년, 월드컵 4강 진출로 온 나라가 시끌벅적했던 날, 나는 결혼했다. 결혼은 나의 첫 번째 전환점.

구미에서 대구로 삶의 터전이 바뀌었으며, 일상을 함께 나누는 가족 구성원도 달라졌다.

1호선 반월당역 23개의 출구 속에서 집으로 가는 출구 찾기를 여러 번 실패하며 대도시의 차가운 공기에 서늘해졌던 마음이 여전히 선명하다.

고향에서 살았던 날보다 대구에서 살아온 날들이 이젠 더 길다. 반월당역 출구 찾기는 여전히 미로처럼 어려운 과제지만, 삶을 살아가고 인생이라는 여정을 견디고 버티는 과정은 이제 조금 알 것 같다.

2023년 11월은 두 번째 전환점. 13년 동안 활동했던 단체의 활동을 접었다. 퇴사했다. 오랫동안 묵혀왔던 그 말을 내뱉었다.

"저, 인제 그만 멈춰야 할 것 같아요.."

'퇴사하겠습니다'가 아닌, '멈추겠습니다'라고 선언했던 8월

그리고 11월 퇴사. 나의 시절 인연들과 단절되니 세상이 멈춘 것 같은 혼란을 잠시 느꼈다.

짧게, 길게, 여행을 떠났다. 경주와 제주. 오롯이 혼자가 되어 불안과 외로움 그리고 고독을 느껴보고 싶었다. 그것은 생각보다 더 짙었다. 밤이 되고 새벽이 되는 시간에 나는 철저하게 혼자였고 감정은 바닥으로 깊게 꺼져갔다.

긴 여행이 시작된 이튿날 아주 아팠다. 호텔 침대 이불속에서 때굴때굴 구르며 혼자 앓았다. 땀과 눈물이 뒤섞이고 목구멍으로 아무것도 삼키지 못했던 하루가 지나고, 늦은 오후 뜨거운 것이 먹고 싶어 머리를 감고 샤워하고 문을 열고 밖으로 나갔다.

뜨거운 제주식 해장국 한 그릇을 먹어 치우고, 제주의 차가운 칼바람을 맞으며 걸었다. 어둑해진 조용하고 작은 동네를 천천히 걷다가, 노-오란 간판에 동그란 도넛 모양이 귀엽게 박힌 가게에 들어가 커피 앤 도넛을 아주 맛있게 먹었다.

그리고 육지 사람들에게 편지를 썼다.

하루하루 참 열심히 살았습니다. 나의 활동을 나는 참 열렬히 사모했습니다.

언제부턴가 나는 아팠습니다. 나를 안아주고 살피지 못했습니다. 작년 7월, 새로운 일과 역할에 매몰되었고 몸과 마음은 조금씩 무너졌습니다.

후회는 없습니다. 최선을 다했으니까요. 하루하루 열심히 살았고, 견디고 버텼습니다. 멈추지 않으면 더 많이 아파질 것을 알아챘고, 그것을 당신들의 잘못이라고 말해주어 미안하고 고마웠습니다.

꽃다발 같은 삶을, 일 년을, 살았습니다. 찬란했지만 결국 시들었습니다.

지금은 나를 돌보는 일상을 마주합니다. 일어나고 싶을 때 일어나고, 미뤄두었던 옷장 정리도 하고, 맑은 날엔 무거운 카메라 하나 배낭에 넣어 무작정 하늘 사진을 찍어보겠다고 여기저기 다녀봅니다.

그렇게 나를 중심에 두고 하루를 살아봅니다.

함께 했던 이들은 시간이 흐르고 다시 복귀하길 바랍니다. 내가 다시 '연민과 연대'를 중시하며 타인의 삶을 지원하는 사람으로 그곳에 설 수 있을지 아직은 모르겠습니다.

그곳은 직장 이상의 의미로 내게 많은 것을 알려준 공동체였습니다. 공동체 안에서 내가 상상하는 많은 것을 실현하고 실천했습니다. 고맙습니다.

한 사람 한 사람에게 편지를 쓰며 2023년을 돌아보니, 하루하루 숨이 찼던 날들이었다.
2023년 마지막 12월은 숨을 고르며 나를 돌보고 있다.

잠시 찬란했던 꽃다발 같았던 내 삶을 긍정하며, 가끔 불안하고 가끔 고독한, 느긋한 하루를 보내며 나를 돌본다.

인생은 여전히 미로 속에서 출구를 찾아 헤매는 것처럼 불안정하다.

여러 번의 실패를 거쳐 집으로 가는 길을 찾았던 것처럼,
결국 알게 될 것이다.

잠시 멈춤과 헤매는 것은 계속 반복되겠지만,
내가 걸어가야 할 방향은 결국 나 스스로 찾게 된다.

삼총사

내게는 '삼총사'라 불리는 친구가 2명 있다.

13년 전 장애 인권 단체에 입사해 업무에 필요한 사회복지사 자격증을 취득하고, 복지사업과 장애인 인권 활동을 병행하며 우여곡절 많은 시간을 보냈다.

고된 길을 걸어오며 만난 동지들.

활동을 시작하며 나와 결이 맞는 두 사람을 운명처럼 만났다. 출근 후 회의하고, 점심 먹고, 야근하고, 반주로 저녁 먹는 일상을 꽤 오랫동안 함께 했다. 자연스레 개인의 일상 다반사를 나누는 친구가 되었다.

우리 셋은 나이도 다르고, 성향과 취향도 다르다. 다만, 분노하고 화가 날 땐 생맥주와 노가리를 즐긴다는 교집합이 있었다.

우린 화가 나는 순간이 선명하다. 장애가 있다는 이유로, 나이가 많다는 이유로, 소수자라는 이유로 등등 많은 편견이 만들어지고 차별하는 사회에 대해서 화가 조금 있다.

그리고 남편들의 나이가 같다. 우린 결혼생활 20년이 넘은 기혼여성이며, 치열한 육아의 경험이 있는 엄마이기도 하다.

우리의 술자리는 늘 가볍게 시작된다. 일과 관련된 이야기로 시작해 각자의 일상을 나누다 또다시 불공평한 사회의 답답함과 쉽게 해결되지 않는 상황의 무기력함이 술자리의 무게를 더한다. 우린 일상적으로 마주하는 인권 침해 상황을 노가리와 함께 곱씹으며 해결의 실마리를 찾곤 했다. 답을 찾지 못한 날엔 1-2-3차 술자리가 이어져 자정이 넘어 귀가하지만, 어김없이 다음 날 아침 8시(지난밤 흐릿해진 기억과 퉁퉁 부은 얼굴을 감싸 안고)가 되면 출근길을 나섰다. 숙취가 풀릴 새도 없이 쏟아지는 전화에 응대하고 회의에 참여하고 녹초가 되는 일상은 차곡차곡 쌓여 10년이 흘러갔다.

단체에 입사할 때가 30대 초반이었는데, 30년 동안 장애인을 만나본 적이 없으며 장애가 있는 친구도 없었다. 출근 날 놀랐던 장면은 전동휠체어를 탄 사람 3명이 넓은 사무실을 휙휙- 돌아다니며 일하고 있던 모습이었다. 그들은 뇌병변장애인이었고, 각자 불편한 곳이 달랐다. 각자 자신이 편한 방식으로 책상을 세팅하고 업무를 했다.

모두의 방식을 있는 그대로 인정하는 것. 내가 활동하게 된 곳의 정체성이었다. 꽤 매력적이라 생각하며, 스스로 질문을 던졌다.

'그런데, 나는 왜 30년 동안 동네에서 장애인을 만나본 적이 없을까?'

그 답은 활동하며 알게 되었고 현실을 알면 알수록 처참했다. 마음이 아렸다. 수용시설에서 태어나는 사람은 없지만, 시설로 보내어지는 사람이 많았다. 장애인 거주시설 내 인권 침해 사건은 해마다 발생한다. 대규모 장애인 수용시설 내 의문사 등 여러 인권 침해 상황을 마주하며 진실을 밝히는 것에 함께했다.

'인권'이란 단어도 생소했던 내가 13년의 세월을 지나니, 시청 앞 기자회견장에서 발언하는 선배 상근활동가가 되어 있었다.

보편적 삶을 지향하며 장애인의 자립생활을 지원했고 10년 정도 총괄하는 역할을 하며 많이 소진되었다. 사람을 지원한다는 무게감은 긴장과 책임감으로 범벅되어 활동가로서 기능하고 나를 상실해 갔다.

친구 같은 나의 동지를 만났던 그 공간에 이제 나는 없다. 항복하듯 흰 수건을 던지며, 그만 멈추고 싶다고 했다. 그리고 두 달 후 퇴사했다.

고립되고 싶었다. 더 이상 연결되고 싶지 않았다. 간단하게 짐을 꾸려 좋아하는 도시인 경주와 제주로 여행을 다녀왔다. 경주 일주일, 제주 보름.

나를 돌본 얼마의 시간 후, 그녀들을 만났다. 여전히 우리는 생맥주, 소주, 하이볼, 막걸리. 주종을 가리지 않으며 잡다한 일상을 나누었다. 가족보다, 어린 시절의 친구보다, 현재의 나를 가장 잘 알고 있는 사람들이다.

늘 그래왔던 것처럼 술을 마시며 즉흥적으로 여행 계획을 세운다. 하루를 잘 살아내는 것이 때때로 버거울 때, 우린 여행을 갔다. 제주, 남해, 경주, 성주, 해인사, 또 제주…

네가 있어야 내가 힘이 나지. 응원의 말을 아낌없이 해주었던 순간들이 있었기에 어쩌면 나는 오래 버틴 것일지도 모르겠다. 내가 힘들어 주저앉을 때 손 내밀고 어깨를 감싸 안아주었다. 이젠 진짜 그만 멈추고 싶어요, 라고 퇴사를 선언했던 날에도 그저 토닥여 주었다.

"너니깐, 너라서, 그동안 잘했고, 뭘 하든 잘할 수 있을 거야. 근데 잘 안 해도 돼."

쉬어감도 다 이유가 있는 것이고, 잘 하지 않아도 괜찮다고 말해주는 나의 인생 친구. '햇살과 바람' 그리고 '맑음'. 쑥스럽지만, 그녀들의 애칭이다. 나는 봉봉이었다.

햇살과 바람은 노영심의 노래를 좋아하고 맥주를 즐기며 총명하다. 우리가 기억하지 못하는 것들을 자주 기억해 낸다. (필름 끊긴 그 날밤은 잊어도 될 텐데) 우리 중 가장 이성적이며 옳고 그름이 명확하고 판단이 빠르다.

맑음은 민중가요 부르는 걸 좋아하고, 소맥을 즐기며 씩씩하다. 우리 중 감수성이 가장 충만하다. 우리의 감정을 자주 살피고 들여봐 준다. 도전하는 것을 두려워하지 않는다.

그녀들을 생각하며 이렇게 글을 쓰는 게 처음인데, 내 마음 들킨 것 같다. 내가 생각보다 언니들을 많이 애정하고, 고마워하고 있음을.

퇴사 후, 마음이란 녀석은 오르락내리락 심하게 요동했다. 삼총사의 주기적인 만남으로 나는 조금씩 괜찮아졌다.

덩그러니 길 위에 혼자 서 있다고 생각했었는데, 이젠 내 옆에 그녀들과 함께 서 있단 생각이 든다.

삶은 여행이니깐, 이렇게 언니들 손 잘 잡고 계속 걸으면 되는 거겠지. 구불구불 어지러운 길도 있을 것이고, 오르막 길도 있을 것이고, 비좁아 혼자서만 가야 하는 길도 있겠지. 그 길들을 잘 걸어 나와 언니들과 웃으며 회상하겠지.

"인생, 잘 살았네."

4:44

"여보세요? 단장님~ 대구 상황은 요즘 어때요?"

"단장님 단장님~ 힘들다 힘들어 요새.
우리 술이나 먹어요.
서울에 연탄불고기 유~명한 데 있는데~~
다음에 모실게~ 오셔~~"

그녀와의 업무 전화는 출근 직후 나의 루틴이었고, 1년 넘게 지속되었다. 거의 매일 전화하며 대구의 상황을 전달하고 보고했다. 지역의 사업 현황을 파악해서 복지부에 보고하는 역할을 했던 그녀는 '차장님'이라는 다소 딱딱해 보이는 직책과는 달리 내겐 귀여운 사람이었다.

170이 조금 넘는 큰 키에 정갈한 단발머리를 늘 유지했고 검은색 정장을 즐겨 입고 회의나 행사에 등장했다.
커리어우먼의 향기가 물씬 풍기는 그녀가 입을 열고 말하면 왜 그리 웃긴 건지. 킥킥거리며, 반전 있는 그녀를 멀리서 동경했다. (역시, 그녀는 충남이 고향이었고, 서울말과 충청도 사투리가 섞인 그녀만의 독특한 말투로 나에게 웃음을 준 것)

우리는 지역 출장이 종종 있었다. 일정을 마친 후엔 늘

둘이 또는 여럿 함께 술자리를 가졌다. 우연히 술자리에서 동갑이란 것을 알게 된 후, 급격하게 친해졌다.

업무차 메시지를 주고받는 일이 많았는데, 나의 동경하는 마음은 하트 뿅 이모티콘으로 많이 표현되고, 그녀도 나에게 아낌없이 유머와 격한 이모티콘을 자주 보냈다.

전쟁터 같은 사회생활이라지만 그 삭막한 곳에서 보물 같은 친구를 만나기도 한다. 미화는 내게 다정한 친구가 되었다.

4:44. 시계만 보면 늘 오후 4시 44분이라며 소름 돋는다며, 운전하던 미화가 운전석 앞 시계를 가리켰다. 허거거걱. 나도 그런데! 나도 시계 보면 444일 때 많아! 지지 뿅!! (40대 중반에도 여전히 이런 유치함에 깔깔거리는 소녀 감성 부끄럽지 않죠)

언제부턴가 핸드폰 화면을 켰을 때 오후 4시 44분이면 누가 먼저 할 것 없이 화면을 캡처해서 서로에게 보낸다.
서로의 안부를 묻는 시간. 잠시 일상의 노곤함을 뒤로 하고 깔깔거리며 농담을 주고받는다. 좋은 사람이다.

퇴사한 지 5개월이 지나간다.

업무를 함께 했던 협력관계에서 친구가 된 우린 여전히 메시지를 주고받으며 궁금할 땐 통화도 한다. 대구 출장을 오면 술을 마신다. 그녀는 막창을 좋아한다. 대구에 막창만 있는 것처럼.

그녀는 꽃과 자연도 좋아한다.

길가에 핀 들꽃, 푸른 나무들, 흐드러진 봄꽃에 향기를 입혀 가끔 사진을 보낸다. 바다와 함께 있을 땐 자유로워 보인다. 에메랄드빛 제주 바다 앞에 서 있는 그녀는 바다보다 더 청명하다. 반려견과 뛰노는 모습은 천진난만 아이 같다.

고요했던 내 마음이 어느 순간 소란하다. 소란함은 내가 살아있음을 느끼는 증거이기도 하다. 내가 고요히 죽어 가는 게 아니라, 너를 만나 소란하여 살았다.

활동을 멈춘 건 내가 살기 위해서였다. 치유의 시간이다. 느슨하게 연결된 사람들과의 만남에서 치유와 회복이 일어난다. 다시 너의 소란함을 마주해야지.

이번엔 내가 서울로 갈게. 당신 만나러? 고기 먹으러! 연탄불고기가 대체 얼마나 맛있길래!!!

오후 4:44

3월 25일 월요일

에스프레소 4잔, 카페라떼 4잔

백수 3개월 차.

고용노동부는 노동자의 직업훈련을 위해 국비 지원 교육을 운영하고 있다. 나도 잠정적 노동자이기 때문에 신청했다. 사진 수업을 마음에 두고 있었으나 몇 달째 수업이 개설되지 않았다. 시간 부자여도 시간은 아깝다. 아까운 시간이 흐르니 꿩 대신 닭의 마음으로 <바리스타 2급 & 홈 카페 실무> 수업을 신청했다. 하. 여기까지였으면 좋았을 텐데요.

내가 퇴직자이며 노동할 의사가 있는지 증명해야 했다. 워크넷에 로그인해 각종 질문에 답을 체크하고, 이력서를 작성해 제출했다. 국비 지원 교육에 참여하기 위해서는 수강료를 결제할 카드를 직접 은행에 가서 등록해야 했고, 그 카드는 출석 때 사용되는 중요한 출석 체크 카드였다.

이제 다 되었나요? 네! 네! 네! 넵!!
(나랏돈 받는 거 쉽지 않음. 무척이나)

내가 선택한 수업은 매주 토, 일. 하루 6시간씩 진행되는 완전 빡센 수업.

평일엔 이것저것 배우고 있고 프리랜서 알바도 있고, 나름 바쁜 백수 생활 중이라 주말반을 선택했는데 직장인들을 만나겠구나! 하는 기대감에 살짝 설레었다.

2월, 설 연휴가 지난 주말 첫 수업이 있었다. 수업 참여자는 나를 포함해 총 7명. 할머니 2명, 대학 복학 준비 중인 학생 1명, 백수 예정자 1명, 백수 3명.

하하하. 직장인이 없...었...다. 세상에나! 백수가 이렇게나 많았나요?

첫 수업은 커피 이론 수업. 수업 직전, 바리스타 전문 자격증을 25개나 취득한 학원의 베테랑 강사이자 행정실장님이 아주 맛나게 에티오피아 원두로 핸드드립 커피를 내려주었다.

커피 향이 가득한 교실에서 커피콩의 수확 과정, 커피콩 건조 방법 등 그냥 마시기만 했던 커피에 대한 정보를 듣고 있자니 벌써 바리스타가 된 듯했다.

첫날 또 인상적이었던 장면은 강사님이다.

강사님은 이날이 첫 수업 날이었다. 매우 긴장한 모습으로 등장했으며, 온 마음 다해 준비한 PPT를 열심히 보며 설명해 주었다. 6시간 수업인데, 이론 수업이 점심시간 전 끝나버렸다.

열심히 하는 사람 앞에 장사 없다고(?) 수강생들이 오히려 괜찮다고 격려하는 훈훈한 모습이 연출되었다. 점심시간에 식사도 하지 않고 고심하셨던 것 같다. 오후에는 질의응답 시간도 가지고 영상도 보며 다채롭게 교육을 이끌어 가 주셨다.

"강사님, 제일 좋아하는 커피가게는 어디예요?"
"사실, 저는 커피를 별로 안 좋아해요. 저는 공차를 좋아해요! 헤헤."

나의 말문을 막아버린 강사님. 강사님의 첫인상은 이리도 강렬했다. 쉽지 않은 양반.

기대와 다르게 시작된 바리스타 수업은 의외로 재미가 있었다. 커피 못지않게 참여자들의 매력을 점점 발견하게 되었다. 정든다. 스며든다.가 바로 이럴 때 쓰는 말인 듯.

초등학교 동창인 할머니 두 분의 티키타카를 구경하는 우리. 커피에 대해 일상에 대해 담소 나누는 우리. 맛집 검색하며 같이 점심 먹는 우리. 짧지만 길었던 시간에 '우리'가 있었다.

수업 차시마다 고용노동부에 제출할 사진을 찍었고, 마지막 차시에는 필기와 실기 시험이 있었고 결과 또한 제출한다. (역시, 나랏돈 받기 쉽지 않아요!)

필기는 60점 이상, 실기는 15분 내 에스프레소 4잔과 카페라테 4잔 제조와 서빙을 완료해야 통과다. 실기는 생각보다 훨씬 살 떨리는 작업이다. 일단 라테의 하트 만들기를 10시간 넘게 연습하는데 하트가 하트가 아니다. 찌그러진 하트, 작은 동그라미가 주되게 나온다.

그래서 결국, 강사님은 동그라미라도 나오면 된다고 최소한의 합의를 선언했다.

점수의 차이는 있었지만, 노력의 차이는 없었다. 모두가 통과했고, 모두가 수료증과 자격증을 받다. 와우! 뜨거운 우유에 손을 데고 덜덜 떨며 라테 4잔을 만들어 내다니! 좀 멋진데.

마지막 수업은 오후 1시에 끝이 났다. 할머니 두 분과 대학생은 집에 가고, 강사님과 백수들은 수업 쫑파티를 했다.

1시에 문을 연 곳은 치킨집뿐이라 치맥! 치킨과 맥주로 또 대동단결이라니. 커피 말고도 할 얘기가 많다. 시끌벅적 수다의 시간을 가지고 네 컷 사진까지 찍고 집에 갔다.

"응응, 동동아! 잘 가~~~"
다신 안 볼 사람처럼, 강사님께 반말하며 헤어짐의 인사를 나누었는데. 그날 저녁, 치맥 했던 사람들 단톡방에 알림이 울렸다. 동동이었다.

"내일 팔공산 갓바위 등산 갑시다아아아!"

주말에 커피 추출하던 시간이 사라지니, 다들 헛헛든지 앞날의 가혹함을 전혀 인지하지 못한 채 동의하고야 말았다.

등산광 동동이의 채찍질로 낙오자 없이 등산은 성공했고, 왕복 4시간 걸렸으며, 매우 배가 고팠다. 칼국수, 비빔국수, 파전, 도토리묵, 동동주. 역시 낮술은 취하지 않는다.
(등산하고 1kg도 안 빠진 건 안 비밀!!)

커피로 맺어진 인연은 커피가 아닌 것으로 파생되었다. 가끔 카톡방에 던지는 안부들. 봄꽃이 예뻐서, 날이 좋아서, 유럽에 여행 갔다고, 톡톡 한다. 39시간의 수업으로 끈끈한 동지애가 생긴 우리는 느슨하지만, 서로에게 연결되었다.

인연을 소중하게 생각하는 좋은 사람들을 만나 행복했던 늦겨울과 초봄의 주말들.

카페에 앉아 가만히 소리를 듣는다. 커피 향 가득한 공간 안에서 우유 스팀 치는 소리, 커피콩 가는 기계 소리가 정겹다. 그 겨울의 나를 만난다.

지금 니 생각 중이야

출근할 곳이 사라졌다. 아침 6시에 일어나 꾸역꾸역 채비하지 않아도 되었다. 실감하려 무거운 카메라 하나와 가볍게 짐을 싼 배낭을 메고 혼자 여행을 떠났다. 퇴사 후 첫 여행. 기차 타고 조용한 경주로 갔다. 아직 많은 곳을 여행해 보지 않아 현재 최애 도시는 경주와 제주다. (갔던 곳만 계속 가는 안전 담보형 여행 스타일인 듯)

ISFJ, 계획적 인간형이나 여행은 숙소 예약 외엔 계획을 세우지 않는다. 발길이 가닿는 우연한 만남을 찐, 여행이라 생각한다. 숙소가 있는 동네를 산책하다 우연히 들어간 분식집에서 최고의 떡볶이를 만난 순간은 오래 기억됨을 알고 있다.

이번 경주 여행은 나름 컨셉도 정했다. 1일 1 북카페 가기. 책 읽는 오후 시간을 안온하게 보내기. 아무것도 하지 말고 책만 읽어. 커피만 마셔. 이게 전부였다.

첫날은 황리단길에서 조금 벗어난 곳에 있는 책방에 갔다. 커피와 간단한 음료를 파는 곳이었다. 깔끔하게 책들이 정리되어 있었고, 인스타 감성 사진을 찍기에 오밀조밀 예쁜 곳이었다.

카페에 가면 창가에 앉는 걸 좋아해서 이 책방에서도 햇빛이 잘 드는 작은 창 앞의 책상에 앉았고, 박준 작가의 <운다고 달라지는 일은 아무것도 없겠지만> 책을 꺼내와 읽었다. 퇴사 직후여서 제목에 매우 끌렸던 것 같다. 일하면서 왜 그리 많이 울었던지. '눈물의 여왕' 타이틀을 쥐어줘도 마다할 수 없을 것 같다. 눈이 커서 잘 운다는 실없는 동료들의 위로에 실소했었는데 언젠가부터 와 닿지 않았다. 그렇게 자주 울었고, 달라지는 일은 없었다.

읽던 책을 구입해서 숙소 근처 <흐흐흐>라는 수제 맥주 가게에 저녁 겸 맥주를 마시러 갔다. 혼자 술 마시기 조금 부끄러워 5시 오픈 시간에 맞춰 갔는데, 이미 혼술 중인 젊은 여성을 마주했다. 어색하지만 동질감이 느껴지는 눈빛을 서로 교환하며 가게로 입장했다.

가게 앞엔 대릉원이 있었다. 책을 읽다 고개 들면 위엄한 능의 모습을 직관할 수 있었다. 능 뷰에 멍때리며 알싸한 수제 맥주와 고소한 알감자 샐러드를 맛있게 냠냠. 혼자여도 외로울 틈 없이 한 손엔 책과 한 손엔 500잔이 있었다. 500을 2잔이나 마시고 밤길 무서워 막 뛰어서 숙소로 갔다. 여전히 밤이 무서운 겁 많은 여자. 이틀날부턴 숙소에서 안전하게 혼-자 마셨다.

둘째 날은 내 운명의 책방을 만났다.

책방을 검색할 때 선택한 이유는 단순했다. 내가 좋아하는 보라색이 건물에 많아서. 보라보라한 책방 외부에 시선이 꽂혀 찾아간 그곳은 황리단길에서 도보로 20분 거리의 조금 한적한 동네에 있었다. 지도 보며 걷다가 고개를 드니, 흰색 건물에 보라색으로 포인트를 준 작은 가게가 있었다. <지금 니 생각 중이야> 책방에 드디어 도착.

가게 이름이 꽤 감성적이고 몽글몽글하다.

커피를 주문하고 찬찬히 가게 안을 살펴보니, 책방 주인이 쓴 책이 있었다. 제목은 <지금 니 생각 중이야>. 그리고 책방 주인의 애칭은 "지금"님.

지금-여기에 있는 나와 사람들을 생각하는 지금님의 마음이 책 제목과 책방의 이름으로 탄생한 것이 아닐지 하는 생각이 들었다. 책방 주인이 쓴 책과 책방에 진열된 책들을 보면 작가의 취향을 알 수 있어서 좋다. 부산 흰여울문화마을 <손목서가>라는 책방은 유진목 시인이 운영하는 곳인데 무뚝뚝한 그녀가 커피를 내려주고 무심하게 본인의 책 몇 권을 꺼내놓고 판매도 한다. 작가가 자신의 취향대로 책방을 운영하며 독자를 만나는 현장은 참으로 귀하고 멋지다!

알록달록 초등학교 건물이 잘 보이는 창가에 앉아, <지금 나 생각 중이야> 책을 사서 읽기 시작했다. 느릿하게 흐르는 시공간. 시간도, 그 공간에 머무는 사람도, 느릿느릿 여유로워 보였다.

바쁘게 움직이는 사람 하나 없이, 글을 쓰거나, 책을 읽거나, 작은 도화지에 그림을 그리는 몇 사람이 자기에게 집중하고 있었다. 그 누구도 아닌 나에게. 지금 여기에서.

지금님의 책을 읽으며 중년여성의 인생, 여자의 일생에 대해 생각했다. 어쩌면 나도 겪게 될지 모를 나의 이야기 같았다. 그녀의 삶이 나와 맞닿아 있다고 생각하는 순간 눈물이 주룩주룩 흘렀다. 주책맞은 눈물을 빨리 닦아내고 책을 덮고 일어났다. (펑펑 울까봐)

책방 주인은 눈물자국 남은 내 얼굴을 살짝 보았던 모양이다. 책방의 독서 모임 밴드 가입을 안내해 주며 "아무나 못 들어와요. 근데 보면 알아요."

아무래도 책에 관심이 있고, 이야기를 나눌 수 있는 사람이 자격이 되는 듯하다.

서둘러 인사를 하고 밖으로 나왔는데, 뒤에서 누가 날 부르며 뛰어왔다. 책방 주인인 '지금'이었다. 그녀는 나를 폭 안아주었다. "가게 안에 사람들이 있어서 안아드리면 놀랄 것 같았어요. 다 괜찮아요, 괜찮을 거예요."

사실 해주셨던 말씀이 다 떠오르진 않는다. 누군가가 나를 진심으로 안아준 건 아주 오랜만이었다. 그래서 당황했던 것 같다. 엄마가 안아준다면 이런 느낌인 걸까. 막연한 생각이 스치며, 어색하게 감사하다 인사하고 뒤돌아 걸었다.

빈 마음이 한가득 무언가로 채워져 웃음이 났다. 이 기분 좋은 느낌은 뭘까. 계속 걸었다. 가을이 만연한 경주의 조용한 길을 걸으며 꽃을 보고, 하늘을 보고, 호수에 비친 나를 보았다. 밝게 웃고 있다. 어느 때보다 행복한 얼굴로.

그녀의 호의가 나를 살렸다.

살아난 나는 그날 밤 편의점에서 작은 위스키 한 병과 토닉워터와 얼음 한 컵을 사서 하이볼을 제조해 마셨다. 기분 좋다고 또 혼술! 하이볼을 한 잔, 두 잔 마시며, 넷플릭스 영화를 보면서 혼자 하는 여행의 묘미에 대해 생각한다.

삶은 여행이야.
여행은 불안의 길이야.

흔들리는 길 위에서 내 손 잡아줄 누군가를 만나.
죽을 것처럼 힘든 순간엔 동굴 속으로 들어가 바닥을 쳐.
바닥을 치고 나면 더 이상 갈 곳 없어. 위로 상승하지.
결국 살아나는 거지.

삶은 견디고 버티는 거야. 그러면 또 살아나.
누군가 나의 손 잡아줄 거야.

다시, 그 길 위에 올라.

낭만, 젊음, 사랑

대구라는 도시를 사랑하는 20대 청년 하영과 규열. 고향을 떠나는 젊은이들에 대해, 지역의 정책에 대해, 사랑과 낭만에 대해, 우린 폭넓은 주제를 오가며 그날도 새벽 2시까지 이야기를 나누었다. 늘 그렇듯 소주와 안주와.

요즘 비싼 물가에 마음 놓고 술을 마시는 게 부담스럽다고 말하는 청년들 앞에서 나를 살짝 돌아보았고, 그들의 의견에 적극 동의하며 최근 독립한 규열의 집으로 갔다. 주택가 골목 안 끝 집. 2층이 규열의 새로운 집이었다. 화이트톤의 깔끔하고 멋스러운 집 내부를 보며 감탄하던 중, 벽면 책꽂이에 빼곡히 꽂힌 책들이 눈에 들어왔다. 역시 내 취향의 책들이 많았다.

규열은 <결>이라는 출판사를 운영하고 있고, 하영은 <아무의 방>이라는 문화 향유서점을 운영하고 있다. 40대 백수와 20대 자신들의 사업장을 운영하는 청년. 우린 결이 맞는 친구 사이다.

3년 전, '나를 찾는 글쓰기클럽' 홍보 글을 우연히 네이버 우리 동네 소식 코너에서 보았고 <아무의 방>을 알게 되었다. 그곳에서 하영의 글쓰기클럽에 참가했고, 정말 신기하게 글쓰기를 통해 '나'에 대해 생각할 수 있는 시간이 확

보되고 나를 발견해 갔다. 글쓰기에 대한 피드백이 아닌, 서로의 생각과 감정을 교류하는 작업이 신선했다. 일주일에 한 번 타인을 만나 나를 알아가는 과정에서 '타인이 안전하다'라고 인식했고, 공간이 주는 편안함과 신뢰를 느꼈다.

몇 달 후 규열의 글쓰기클럽도 참여했다. 규열은 3권의 책을 낸 작가님이었고, 하영의 시간과 닮아있지만 다른 느낌의 매력 있는 모임이었다.

그렇게 하영과 규열을 만났고, 지금은 가끔 술을 함께 마시며 세상사 이야기를 나누는 친구가 되었다. 가끔 글쓰기 클럽을 신청해서 진행자와 참여자로 만나기도 한다.

퇴사 후 여행을 다녀오고, 여전히 헛헛했다. 아무의 방을 처음 찾았던 그 시절도 상실과 공허함이 가득했었다. 그럴 때마다 찾을 수 있는 곳이 있다는 것에 안도한다.

23년 12월과 24년 1월, 글쓰기클럽에 두 달 동안 매주 참여했다. 백수의 일상을 직장인들과 나누며 부러움을 받기도 하고, 부러워하기도 했다. 삶이라는 게 참 아이러니하다. 내가 가졌을 땐 누리지 못하고 가지지 못했을 땐 아쉬움을 느끼는, 이중적이고 모순적인 태도를 보인다.

나의 민낯을 다 보이지만, 뭐든 괜찮다고 한다. 하영과 규열은 사람의 다양성과 감정에 대해 솔직하게 반응한다. 당신의 감정은 다 괜찮다고 한다. 묘한 안도감이다.

우리의 인연은 여러 계절이 지나 4번째 봄을 맞았다. 한 달 전, 봄밤 아니 새벽까지 이어졌던 규열 집에서의 술자리는 꽤 길었다.

8시간 동안 릴레이하듯 긴 대화를 나눌 수 있는 사람, 하영과 규열. 내가 나이가 많다고 알은체하거나, 인생 선배라고 끌어주려고 하지 않는다. 오히려 그들에게 배운다. 삶을 긍정하는 태도, 자유 속에서 통제하는 힘, 차별사회에 대한 저항과 변화를 시도하는 용기, 사람을 우선에 두는 기준들. 그리고 멋스러움. 내적 외적 모두 완벽해.

그들의 패션은 자신들이 가지는 신념과도 맞닿아 있다. 틀에 얽매이지 않는 자유분방함에 질서 있음이 좋다. 문득 나는 그들에게 어떤 모습으로 비칠까 궁금해진다.

어젯밤, 하영과 동네 곱창집에서 간만에 소주 한잔을 기울였다. 그녀의 말을 기억한다.

"수진! 소녀다움을 잃지 않고, 간직하고 있어서 좋아요."

소녀다움. 난 여전히 남과 여의 러브스토리가 담긴 로맨스 영화를 좋아하고, 다양한 음악(인디, 재즈, 클래식)을 듣고, 사진찍기, 카페 가기, 혼자 여행 등 소소한 낭만을 즐긴다. 외모가 소녀일 순 없는 나이 든 여성이 되었지만, 나만의 감각을 잃지 않는 낭만 가득한 할머니로 늙고 싶다.

낭만, 젊음, 사랑이 내 인생에 계속 등장하길 바란다.

이세계의 <낭만 젊음 사랑>이란 노래를 흥얼거리며,
하영과 규열의 청춘을 응원한다.

우린 낭만이란 배를 타고 떠나갈 거야 ~
우린 젊음이란 배를 타고 떠나갈 거야 ~
우린 사랑이란 배를 타고 떠나갈 거야 ~

의 자매

22년 10월 1일, 신입으로 입사한 거니(그녀의 애칭)를 처음 만난 날.

그녀는 입사 넉 달 후, 일이 힘들다고 내게 이야기했다. 나는 부서 총괄자였기에 그럼 역할을 바꿔보자고 제안했고 회계담당자로 보직을 순환했다.

대학 졸업 후 첫 직장, 첫 담당 사회복지 업무가 힘들었던 그녀는 학교에서도 배우지 못했던 회계프로그램을 만지고 예산서 작성하는 일을 하면서 어렵지만 재밌다며 내게 고맙다 했다. 그녀는 지금까지 회계담당자로 입지를 다지며 업무를 잘하고 있다.

퇴사 후 보름 만에 그녀를 만났다.

부서의 많은 동료 중 특별히 그녀만을 만난 건, 그녀가 퇴사하던 날 내게 준 한 달간 쓴 편지 때문이다. 편지는 그녀를 닮은 귀여운 캐릭터가 그려진 두꺼운 노트였는데, 왼편엔 좋은 글귀와 시가 적혀있었고, 오른편엔 나와 함께 근무했던 날 있었던 에피소드와 느낌들이 한가득 적혀있었다. 예전 고등학교 때 친구들이랑 함께 나눠 적었던 비밀 노트처럼.

마지막 근무 날, 나의 동료들은 <보랏빛 향기>를 BGM 으로 나의 사진을 모아 만든 영상과 손 편지와 선물을 한 보따리 챙겨주었다. 그리고 거니는 수줍게 묵직한 노트를 내게 건넸다.

고등학교 이후 처음 받아 본 스프링 노트에 적힌 편지글. 감동을 표현할 길이 없어 그저 거니의 손을 꼭 잡아주며 "고마워요. 진짜 고마워요." 이 말밖에 하지 못한 채 헤어 졌다.

사실 보름 만의 재회라 극적이지 않다고 생각할 수 있지 만, 우린 체감상 몇 달이 지난 것 같았다. 마지막 근무 날 에도 나는 신입 상근자 교육을 했다. 그만큼 일이 많고 바 쁜 신생 부서였다. 거니가 회계업무를 담당하게 되면서 함 께 야근과 주말 근무를 자주 했다. 미안함이었을까. 일이 많 아서이기도 했지만, 있는 동안 회계업무를 많이 가르쳐주고 싶었고 그녀가 빨리 적응하길 바라는 마음에서 그녀가 일을 마무리할 때까지 기다린 날이 많았다. 거니는 또 그런 나에 게 고마워했고, 곧 헤어짐을 아쉬워했다.

애틋한 거니와 곱창전골을 먹으며 그간 그녀가 겪은 고군 분투 일상을 들었다.

소주가 한잔, 한 병씩 늘어가며 그녀의 언어는 빨라졌고 거침이 없었다. '나에게 배운 건 일뿐만 아니라 술도 배웠네. 녀석.' 흐뭇하게 바라보며 경청했다.

2차는 거니가 쏜다! 하서서 바텐더의 현란한 동작을 마주할 수 있는 칵테일바로 안내했다.

붕세권(붕어빵 역세권)을 꽉 쥐고 있던 거니는 첫 월급 기념으로 점심시간에 왕복 30분 이상의 거리를 걸어서 붕어빵 4봉지를 사 온 적이 있었다. 맛있는 것은 함께 먹어야 하는 정 많은 친구다.

주말에도 출근해서 종일 일하는 게 안쓰러워, 서둘러 마무리하고 낮술을 먹은 날들이 있다. 낮술의 묘미를 알아버린 거니는 종종 막걸리와 파전과 무침회를 먹고 싶다 했다.

작년 봄엔 인권 침해가 발생한 장애인 거주시설에 제대로 된 처벌을 요구하는 무기한 농성이 한 구청 앞에서 시작되었다. 거니와 함께 1박 2일 농성장을 사수하며 여름밤 도란도란 시간을 보내기도 했다. 일도 열심 활동도 열심, 너란 녀석, 내가 안 좋아할 수가 없었다.

붕어빵, 낮술, 농성. 지난 추억을 이야기하며 비싼 칵테일을 호로록 2잔씩 마시고, 집이 먼 거니를 배웅했다. 지하철 역 앞에서 우린 뜨겁게 안녕! 했는데, 거니가 계단을 내려가기 직전 나를 부른다.

"수진~~ 앞으로 언니라고 불러도 되어요? 우리 의자매 맺어요!!"
"으응? 의자매? 우어! 괜찮겠어? 나는 당연히 좋지! 혈서라도 써야 하나? ㅎㅎㅎ"

혈서는 쓰지 않았지만, 서로에게 충성하는 언니 동생이 되었다. 나의 첫 여동생 거니. 종종 안부를 묻는 메시지와 내가 좋아하는 하늘과 나무 사진을 찍어 보내주는 다정한 동생 거니. 이젠 동료가 아닌 동생으로 관계가 확장되었다.

너는 백수가 되어 만난, 가장 좋은 인연이다.
너의 따뜻함이 차가워진 내 마음을 녹이고 채운다.

우리 성실하게 하루를 살고, 인생은 느슨하게 살아보자.
한 잔의 술과 함께!!

제 주 에 서

퇴사 전이나 후나 어디론가 떠나고 싶은 마음은 나이가 들수록 더 갈망하게 된다. 마흔둘, 처음으로 혼자 떠난 제주 여행은 두려움과 설렘의 양가감정을 느끼게 해준 첫 독립의 시간이었다. 부모와 함께 살던 곳을 떠나 내 가정을 꾸리며 물리적으로 혼자 독립적으로 살아본 적이 없다. 심리적 독립 또한 여전히 어려운 듯하다. 나이 차가 많은 남편을 의지하며 살아왔다. 물리적, 심리적으로 오롯이 혼자의 시간을 보낸다는 것은 감히 생각할 수 없었던 것 같다.

10대 때 겪지 못한 사춘기가 40대에 찾아온 것인지 혼자 있고 싶은 마음이 그득그득했다. 혼자 여행을 결심했다. 제주 서쪽부터 동쪽까지 보름 동안 3곳의 숙소에 머물며 혼자의 시간을 보냈다. 제주의 세찬 바람에 흔들리는 창문을 바라보며 날밤을 지새우기도 했다. 남편의 코 고는 소리가 자장가였던 걸까. 적막한 밤이 무서웠다. 지금도 혼자 여행을 가면 잠 못 이루는 날이 많다.

3년 만에 다시 보름간의 혼자 제주 여행을 준비했다. 마음이 헛헛할 때 찾게 되는 제주. 넉넉한 품으로 나를 안아주는 곳. 관광지보다 당근밭과 무밭 같은 시골 풍경을 만날 수 있고, 걸어서 산책하면 바다가 보이는 곳에 숙소를 구한다. 도서관 유무도 꼭 확인한다. 주민처럼 동네 구석구석을

산책하며 걷기를 좋아한다. 주의할 점은, 너무 시골에 숙소를 구하면 왕복 1시간 걸어서 편의점에 가야 할 수도 있다. 막걸리 1병 사러 1시간을 왕복하는 건 너무 슬픈 일이다. 차가운 고등어회가 식어가고 있었으니깐.

배낭 하나 메고 도보로 혼자 여행하는 40대 여자. 이번엔 백수가 되어 떠나는 퇴사 기념 여행이었다. 욕심내지 않고 광치기해변과 삼달리. 두 곳을 여행지로 결정했다. 오일장이 열리는 작은 동네 작은 호텔에 일주일 머물며, 자주 혼술하고, 제주에서만 먹을 수 있는 몸국으로 해장했다. 카메라 하나만 챙겨 들고, 광치기해변을 걸어가 바다를 멍하니 바라보고 다시 힘을 내어 성산일출봉까지 1시간 남짓 걸었다. 예측할 수 없는 자연의 위대함에 인간은 겸손하게 되는 것 같다. 에메랄드빛 바다와 파란 하늘과 흰 구름이 하나의 큰 액자 속에 담긴 듯 무한 매력에 빠진다. 자연은 그렇게 인간을 품어 준다.

일주일 동안 오롯이 혼자 시간을 보내니 사람이 그리워졌다. 사람이 그리워질 때쯤 다음 숙소로 이동했다. 그곳은 휠체어 이용자도 한 달 살기가 가능한 독특한 방식으로 운영되는 게스트하우스다. 삼달리에 있어서 <삼달다방>이다. 포털사이트에 검색하면 주인장들과 관련한 다양한 기사를 볼

수 있다. '다양성을 존중하는 여행자의 문화 공간'을 표방하며 부부가 운영하고 있다. 혼자 방을 쓰며 고요하게 생활하기도 했고, 사람들과 함께하고 싶으면 언제든 문화 공간에서 여행자들과 담소를 나눌 수 있었다. 첫날은 장애 인권 단체에서 활동 중인 여성 활동가를 만났다. 그녀는 20년 넘게 활동을 이어오고 있었으며, 몸과 마음이 지쳐 잠깐 여행을 왔다고 했다. 문화 공간에서는 이미 여행자들의 술판이 벌어지고 있었고 그녀와 함께했다. 다음 날 아침, 해장하고 딱히 계획이 없던 나는 그녀를 따라 올레길을 걸었다.

삼달리에서 표선 해변까지 이어진 올레길을 걸으며 2시간 동안 길 위에서 우린 대화를 나누었다. 여자의 일생은 참 비슷한 구석이 많은 듯하다. 그녀는 나보다 10살 많았지만 결혼 시기가 비슷해 20년 넘는 결혼생활, 남매가 대학생인 점, 장애인 단체에서 오래 활동한 점 등등 자연스럽게 결혼과 활동 이야기가 오갔다.

살다 보면 삶이 의미 없어질 때가 있다. 열심히 살아 뭐하나, 버티고 견뎌서 뭐 하나, 명확한 해답 없는 질문들이 자신에게 쏟아지는 순간들이 온다. 그 시기를 또 잘 지나가면 무릎 탁! 치며 깨닫게 되는 순간도 분명 온다. 그녀와 함께 걸었던 그 2시간이 내게 그랬다. 공허와 상실감으로 가득 차 있던 내가 그저 살아가는 것에 대한 의미를 부여했던 순간. 사실 그녀가 답을 준 건 없다. 그녀와의 대화에서 알아챘다. 나와 그녀 사이 보이지 않는 끈이 우리를 이어주고, 그 이어진 끈은 우리가 서로 닮아있음을 느끼게 해줬다. 삶이 닮은 우리는 그저 묵묵히 이 삶을 살아가야 함을 자연 앞에서 알게 되었다.

삼달다방 숙소에 머문 10일 동안 정말 다양한 곳에서 존재하는 다양한 사람들을 만났다. 복지관의 사회복지사인 아빠가 수능을 친 쌍둥이 딸들을 위한 기념으로 여행을 오기도 했고, 나처럼 혼자 훌쩍 떠나온 기혼 여성도 있었고, 전역을 앞둔 멋진 육군 병장, 교통사고로 지체장애인이 된 프로그램 개발자도 만났다. 사연 있는 사람들의 사정은 문화공간에서 밤마다 확인할 수 있었다. 여러 잔의 술과 함께. 각자 안주 하나씩 사 오면 땡큐! 삼달다방 냉장고는 술 창고다. 마음껏(?) 꺼내서 마실 수 있다.

혼자의 시간, 여럿의 시간. 결국, 사람은 혼자서만 살 수 없음을 혼자 있었기에 여럿이 있었기에 알 수 있었다. 지금은 '잠시 멈춤' 상태이고 느슨하게 연결되어 있기를 희망하지만, 결국 나는 사람 곁으로 돌아갈 거다. 마침표를 위한 쉼표의 시간이다.

백수 생활에 길들어 있는 나는 좀 더 큰 계획을 세워본다. 6개월 동안 알바하며 돈을 모아, 2025년은 제주 1년 살기를 해 보려고 한다. 귀신 무서워 무서운 영화도 못 보고, 깜깜한 밤을 무서워하는 겁쟁이인 내가 혼자서 살아보려 한다. 가족의 동의와 지지가 큰 힘이 된다. 그리고 나를 믿어 보기로 했다.

돌아오려고 떠나는 거다. 단단한 내가 되어 돌아오길.

　　술꾼백수

몰입의 시간

2024년 새해 새날을 맞이했던 순간, 노트북 바탕화면엔 폴더 하나가 생성되었다. 이름하여 취미의 발견!

일하느라 바빴던 긴 세월에 나를 위한 시간이 매우 적었음을 감지하고 24년 1월부터 6월까지 무조건 나를 위한 시간으로 채우는 게 올해 목표였다. 퇴사 후 아무것도 하고 싶지 않았고 그저 여행과 도서관에서 책 읽는 것 외엔 딱히 계획이란 게 없었다. 여행에서 만난 사람들, 아무의 방 글쓰기클럽을 12월에 시작하면서 마음이 동요하기 시작했던 것 같다.

무언가에 관심이 가고, 행동하고 싶어진 그 마음에 살짝 놀라기도 했다. 마음속의 열정이 사라졌으나, 인생은 또 살아지는 것이니. 뭐든 해 봐. 할 수 있다고 다독이며.

우선, 좋아하는 조안나 작가님의 블로그를 통해 <에고이즘의 필사클럽 – 매일 하는 일이 당신을 살릴 거예요>를 신청했다. 기간은 1월부터 6월까지 6개월 동안이었고, 온라인 카톡방에 초대된 참여자들은 월~금요일에 독서 후 필사를 인증한다. 갓난아기를 돌보는 여성들은 새벽 5시부터 손으로 꾹꾹 눌러쓴 필사를 톡 방에 공유했다. 대화의 내용을 미루어 보아, 이 톡 방에 모인 참여자는 모두 여성들이다.

30대 이상 50대 이하. 육아와 가족 돌봄으로 자신의 시간이 매우 부족한 여성 40명이 모여 있다. 우리 집 사는 남매는 이미 성인이고 나는 백수라, 새벽에 일어날 이유도 악착같이 책을 읽을 이유도 없었다. 내가 경험한 그 시간을 지나는 그녀들을 보니 나의 20대가 생각나 뭉클하기도 했다. 서툴고 불안했던 육아와 살림하던 20대 중반의 내가 떠올랐다. 20년 전 나에게, 이런 말을 해주고 싶어졌다.

"수진! 시간은 흐르고 30대, 40대를 너는 숨차게 맞을 거야. 아기가 울면 따라 우는 너의 모습 안쓰럽네. 너도 엄마가 처음이니깐, 그럴 수 있어. 그래도 괜찮아."

조안나 작가님이 정해준 3명의 작가의 책을 2개월간 집중해서 읽는 것이 이 필사클럽의 특이점이다. 인도 태생 미국인 작가인 '줌파 라히리', 이방인으로 너무나 유명한 '알베르 카뮈', 내가 좋아하는 영화<순수의 시대>의 원작 소설가인 '이디스 워튼'. 순서대로 책을 읽다 보니, 낯선 작가들의 책을 벌써 10권째 읽고 있다.

내 취향의 책들은 읽고 싶을 때, 필사클럽에서 선정해 주는 작가의 책은 매일 30분씩 꾸준하게 읽었다. 덕분에 독서 루틴이 생겼다. 몰입의 즐거움을 알게 해준 나의 필사클럽.

또 다른 몰입의 시간을 안겨주는 것은 '그림'이다.

2월 중순부터 <어반스케치> 그림 수업을 시작했다. 버스 타고 50분 가야 하는 먼 동네의 작은 도서관에서 진행되는 수업이었다. 매주 금요일, 수업이 있는 날 아침은 백수의 미라클 모닝이 시작된다. 붓과 팔레트와 종이 등의 그림 도구가 든 에코백을 챙기고, 운동화 끈 꽉 조여 매고 출발!

10시, 10명의 참여자가 모여든다. 각자의 짐꾸러미들을 어깨에 하나씩 둘러메고 도착한 참여자들은 34색 물감이 짜진 팔레트를 펼치고 물통에 물을 받아 온 후, 자리에 가만히 앉아 어미 새를 찾는 아기 새 마냥 강사님을 바라본다. 강사님의 설명을 경청하고 시연을 뚫어지게 바라보며, 나도 저렇게 그리고야 말겠다는 비장한 표정을 짓는다.

몰입의 시간은 그때부터다. 내 그림에 내 손길이 닿는 시간. 그리고 여기저기 흘러나오는 탄식. '하...' '휴...'

분명 강사님의 그림을 머릿속에 집어넣었지만. 입력과 출력이 다름을 인정하는 시간은 그리 오래 걸리지 않는다. 몰입하고 탄식하고 강사님을 경외하는 이 순환은 매주 반복되었다. 그렇게 10번의 수업을 했고 곧 마무리된다.

고등학생 시절 따라 그리기를 곧잘 해서 미술학원에 가고 싶었지만, 형편상 그러질 못했다. 마음 한편에 아쉬움이 남아있어 그림 수업을 신청했던 게 아닌가 생각 든다. 지금은 17세 소녀처럼 금세 눈으로 익혀서 따라 그리는 게 어려운, 손이 둔한 40대 아줌마가 되었다.

30년의 세월은 내가 관심 있던 것도 무뎌지게 했다.

붓을 든 손이 어색해서 내가 긋고자 하는 방향대로 붓질이 되지 않는다. 마음과 손이 따로 놀지만 재밌다. 그림 수업이 진행되는 동안 엄청난 몰입감을 느꼈다. 그 시공간에 나만 덩그러니 놓여 진 느낌이랄까.

미술관 전시회를 찾아 고요하게 그림 감상을 즐겼는데, 직접 그림을 그리니 더 고요해지고 더 몰입된다. 눈으로 바라보는 것은 정적이나, 손이 바삐 움직이는 것은 생동감이 있다. 정적인 행위를 즐겼던 나는 당분간 동적인 행위로 그림을 마주하게 될 것 같다.

어반스케치가 끝나는 것을 아쉬워하며 새로운 그림 수업을 신청했다. 또 어떤 몰입의 시간을 만나게 될까.

마지막으로 내가 즐기는 몰입 시간은 '명상'이다.

<30분 고요 명상 with 여성 활동가> 또한 필사클럽처럼 오프라인이 아닌 온라인을 통해 연결되는 모임이다. 이 모임은 '왕언니'라 불리는 분이 30분간 진행한다. 그녀는 여성노동자회 활동가이자, 서울의 어느 대학 심리학과에서 요가와 명상을 가르치는 교수님이기도 하다.

왕언니는 15년 동안 인권 활동을 하다가 너무 많이 지쳐서 그만두었고, 이후 명상을 접하고 자신처럼 인권 활동 현장에서 힘들어하는 여성 활동가들을 위해 이 모임을 만들게 되었다고 한다.

지금은 이탈자이지만. 나도 13년 동안 활동했었고, 여성이니깐 참여 자격은 충분하니 '잠깐 해 볼까?'하는 마음으로 시작했다. 사실 모임을 추천해 준 동료의 따뜻함이 감사하기도 했다. 나를 위해 달이라도 따다 줄 것 같았던 그 눈.

그녀의 눈망울이 따뜻하다고 느껴진 건 어쩌면, 세 개의 안주와 세 병의 소주 때문일지도 모르지만.
어쨌든, 모임을 신청했다. 취 중 신 청!

토요일 밤 9시, 30분간의 고요한 명상이 시작된다.

"Here & now ~ 나의 호흡에 집중합니다. 나의 신체 감각과 호흡을 알아차립니다~" 명상을 처음 접하는 이들을 위해 왕언니는 명상의 길을 안내한다. 차분한 그녀의 목소리를 따라 눈을 감고 내 몸의 감각을 알아차린다.

의자에 편하게 앉아있다고 생각했었는데, 나는 가만히 있어도 어깨에 힘이 들어가는 사람이었다. 예민한 성향이라 신경 쓰이는 일이 있으면 커피를 다량 섭취한 사람처럼 각성상태가 되어 밤을 꼬박 새운 적이 많았다. 깨어 있는 상태에서도 나는 어깨와 두 팔에 긴장이 흐르고 있었다.

가볍게 생각했던 명상은 나를 알아차리고, 이해할 수 있도록 해준 중요한 몰입의 시간이 되었다. 나를 향한 자애 명상, 타인을 위한 자비 명상을 통해 각성상태를 해제한다.

백수는 오늘도 필사, 그림, 명상한다.
혼자 했다면 몰랐을 몰입의 시간.
평온한 연결에 위안받으며, 모두를 위한 기도를 한다.

"내가 좋아하는 사람들 모두 평화롭고 행복하기를."
peace and good luck!

술꾼백수   85

술꾼백수

책 과 술

책이 술술 읽히거나, 술이 술술 들어가는 날이 있다.

인생도 그렇게 술술 풀리면 얼마나 좋을까.

그날의 내 마음과 상태에 따라 읽고 싶은 책도 마시고 싶은 술도 다르다.

백수가 된 이후로 도서관에서 책을 빌려보려 애쓰지만, 종종 인터넷 서점 사이트를 접속해 신간과 베스트셀러 책들을 검색한다. 마음에 꽂히는 책을 만나면 자기합리화가 시작된다.

'어머, 최진영 작가가 제주 이주 후 처음으로 쓴 소설이라고? 소장 가치가 너무나 있는데!'

'나의 이동진 평론가님이 추천한 올해의 책이라고?! 그분이 추천한 것엔 다 이유가 있어. 사야 해!'

흐흐흐. 뭐 이런 다양한 이유로 책들은 내게 온다.

내게 온 책은 책꽂이의 자리를 사수하지 못해 방 한구석에 켜켜이 쌓여 간다. 사야 할 책은 내 마음을 흔들고, 읽지 못한 책은 내 마음을 불안하게 한다.

책이 배송되어 오는 속도보다 내가 읽는 속도가 느릴 때가 있는데 그럴 땐, 새 책들은 안전한 곳에 보관되며 내 기억에서 사라진다. 또 같은 책을 살까, 이 불안한 마음.

혼자 여행을 가면 여행지의 도서관을 방문해 몇 시간 머문다. 가벼운 시선과 손길로 읽을 책을 고르고, 비어 있는 의자에 앉아 조용히 책을 읽는다. 2시간 초집중하면 1권을 뚝딱 읽을 수 있다. 주로 에세이를 읽는다. 여행 후 일상으로 돌아온 사람들의 에세이를 읽고 있노라면 여행이 더 특별해지는 느낌이다.

제주 삼매봉 도서관은 서귀포 쪽에 있다.

그곳을 찾았던 이유는 도서관 식당 때문이었다. 붐비는 관광지는 찾아서 안 가지만 동네 맛집은 검색한다. 줄 서서 기다려야 하는 곳은 제외하고 혼밥 가능한 곳을 찾는다.

삼매봉 도서관 식당은 가성비 대비 맛있게 한 끼를 먹을 수 있는 곳이라 여행자들에게도 인기가 많았다.

언덕 위 도서관의 높은 위치 덕분에 정면으로 한라산 뷰가 보이고, 바로 옆 건물이 미술관이라 한 번 더 감동!

왕돈까스 하나 시켜 맛있게 먹고, 200원짜리 커피자판기에서 달달한 커피 하나를 뽑아 벤치에 앉았다. 세상 행복!

두 손은 뜨거운 자판키 커피를 감싸 안고,

두 눈은 눈으로 뒤덮인 하얀 한라산을 향한다.

늦겨울 제주 여행자가 누리는 최고의 호사스러움.

뜨거운 커피, 차가운 입김, 설산의 오묘함을 보며 자연스레 떠오르는 장면이 있었다. 매일 아침 스타벅스에서 진한 아메리카노 한잔을 마시고, 오후에 또 아메리카노를 마시며 야근을 준비하는 일상을 보냈었다. 일을 더 많이 하려고 어떻게든 각성상태를 만들고자 했던 나의 모습이 떠올랐다.

작은 종이컵 안에 든 갈색 커피를 호로록 마시며, 일상의 나를 측은하게 생각하며, 여행자로 충실한 시간을 보내고자 도서관 자료실에 갔다. 제주 출생 작가들의 책을 전시한 곳도 둘러 보고, 얇은 책 한 권을 골라 단숨에 읽었다.

제주의 도서관은 규모가 작은 곳이 많은데, 삼매봉처럼 특색 있는 곳이 꽤 있는 듯하다. 한라산 도서관, 동녘 도서관도 기억에 남는다.

책이 좋아서 도서관을 찾게 되고, 책 방을 가게 된다.
<심플 책방>은 나보다 더 책을 좋아하는 친구와 만나기 위해 찾은 약속 장소였다. 지하로 들어가는 좁은 문을 지나 불안한 계단을 밟으며 '이런 곳에 무슨 책방이?' 기대감 없이 들어갔는데, 우와! 너무 내 취향이잖아!!

그곳은 칵테일을 마시며 책을 읽을 수 있는 책방이었다.

칵테일은 알코올/무알코올 두 종류가 있었고, 안주는 팔지 않았다. 가볍게 한잔하며 혼자 온 사람은 책을 읽고, 일행이 있는 사람은 조용히 담소를 나누었다. 새로운 느낌의 이 독립서점은 나의 아지트가 될 예감. 고양이들의 애교는 덤.

심플 책방처럼 혼자 가볍게 술 한잔하며, 일기를 쓰거나 책을 읽을 수 있는 공간이 집 근처에 있으면 좋겠다는 간절한 소망이 닿았는지, 와인과 파스타 파는 가게를 알게 되었다. 캄캄한 분위기, 손님이 없어 조용한 점, 요리에 자부심이 있지만 소심한 사장님이 마음에 들었다.

일찍 퇴근했지만 혼자 조용히 있고 싶던 어느 날 그곳에 갔다. 저녁 7시가 넘었지만, 손님은 나뿐이었다. 파스타와 잔 와인을 주문하니, 맛 보존을 위해 잔 와인을 판매하지 않기로 했단다. 아쉬운 대로 칵테일 한 잔을 주문하니, 오늘 새로 들어온 와인을 시음 중이었는데 한잔 서비스로 드린다며 수줍게 놓고 가셨다. 갑자기 술이 2잔으로 늘어서 기분 좋다고 일기를 썼다.

책을 읽고 있는데 심심했던 사장님이 말을 걸었다. 파스타 맛은 어떤지 물어보고, 파스타 조리 과정을 읊어주고, 와인은 괜찮냐 묻고, 당신처럼 혼자 와서 책 읽는 손님들이

왕왕 있다고 이런저런 얘기를 하고 주방으로 돌아갔다. 일종의 서비스 같은 사장님의 수줍은 조잘조잘 스타일의 대화가 재밌었다. 사장님 때문에 아지트 하고 싶어진 그곳.

3번 정도 더 갔던 것 같다. 작년 말, 출근길에 우연히 본 그 가게는 간판이 내려진 상태였다. 그리고 몇 달 후 평범한 치킨 가게가 문을 열었다.

손님 없다고 조용하다고 좋아했던 내가 물색없이 느껴졌다. 착한 사장님은 여전히 자신의 신념대로 요리하고 있으려나, 대중의 맛을 찾아 변화를 주었을까, 여전히 병 와인을 팔며, 손님에게 말을 걸지 말지 고민할까.

나름 단골손님으로서 사장님의 안녕을 진심으로 바란다.

내가 원하는 나만의 아지트를 찾기란 쉽지 않다.
그래서 가끔 구체적인 계획 없는, 즐거운 상상을 해본다.

내가 좋아하는 공간을 만들어 내가 좋아하는 책과 커피와 술을 판매하고, 비슷한 취향의 사람들을 편하게 만나는 것.

밥벌이를 적당히 해도 될 때쯤. 돌봄의 책임에서 가벼워질 때쯤. 나의 책방을 열고 싶다. 책, 커피, 술을 파는 곳.

그 공간엔 재즈 음악이 나지막이 깔리고, 인권과 여행 관련한 책이 잔뜩 꽂힌 책장이 서넛 있다. 큰 창문 너머로 낮엔 햇살이 쏟아지고, 밤엔 골목의 은은한 조명이 되어 빛을 낸다.

책과 술이 있는 나의 아지트에 사람들은 모여든다.
글 쓰는 사람, 음악을 듣는 사람, 혼자 술을 마시는 사람, 책 모임을 하는 사람들. 취향이 비슷한 사람들이 모이는 곳.
그런 곳을 만나고 싶다.

무엇이든 한 번 좋아하게 되면 깊게, 오래, 좋아한다.
좋아하는 것을 찾지 못했던 많은 나날이 지나고, 무엇을 얼마나 어떻게 좋아하는지 알아간다. 발견한다.

좋아하는 것과 잘하는 것은 다르다. 책을 좋아한다고 김영하 작가님처럼 마성의 소설가가 될 수 없고, 술을 좋아한다고 엄청난 주량을 자랑하지 않는다. (소주 2병이 최선입니다만!)

난 그저 한잔의 와인과 한 권의 책이면 행복하다.

술꾼백수

에필로그

노동하지 않는 사람. '전업주부'의 타이틀을 가졌던 스물여덟. 8번의 이력서를 내고 첫 직장을 가졌다. 대구에서 가장 오래된 백화점의 방송실에 입사했다. 대학 시절 교내 방송국에서 활동했던 경험 덕분에 일을 시작 할 수 있었다.

청소와 요리, 육아, 가족 돌봄. 누구누구 엄마로 불리던 시절이 지나고, 내 이름 세 글자로 맡은 업무에 책임을 지는 노동자로 거듭났다.

17년 노동했다. 그리고 잠시 멈추었다.

뭐 먹고 살려고 그 나이에 일을 그만두는지, 사회생활이 다 똑같이 힘든데 너는 약해빠져 어쩌냐고 걱정하는 이, 다같이 힘든 시기에 도망가는 배신자 같은 사람이라고 원망하는 이들도 있었다.

나 또한 그들의 생각과 별반 다르지 않았다.
나를 중심에 두고 결정했으나, 평온한 마음에 이르기까지 꽤 긴 시간이 필요했다.

6개월 동안의 백수 생활을 돌아보며 글을 쓸 수 있었던 도서관의 책 제작 수업은 다음 단계로 넘어가기 위한 도약의 기회였다고 생각한다.

글을 쓰며 지나간 날을 회고하고 정돈했다. 복잡한 머릿속과 요동치는 감정들은 점점 차분하게 가라앉았다. 그리고 연초 계획했던 것들을 잘 실천하고 있는지 점검하기도 했고, 앞으로 뚜벅뚜벅 걸어 나갈 힘을 주기도 했다.

2개월 동안 잘자유 작가님과 10명의 참여자는 매주 목요일 오후 2시, 동네 책방인 별책 다방의 큰 책상에 옹기종기 모여 앉았다. 어색했던 첫 모임 날은 우리가 왜 글을 쓰고 싶은지, 어떤 책을 제작하고 싶은지 작가처럼 출간 계획서를 작성했다. 6주의 시간이 흘렀고, 마지막 글을 적고 있다.

5월 말 백수 생활을 담은 책이 나온 후, 6월부터 백수 생활 청산하고 다시 밥벌이를 시작할 예정이다.

기존에 해 왔던 일과 비슷하고 야근은 없다. 그래서 월급도 적다. 무게감 느껴지는 일은 당분간 안 하고 싶다.

최저시급 받는 알바생으로 당분간 일을 하고 2025년에는 대구를 떠나 제주에서 혼자 살기를 실행해 보려 한다.

끊임없는 도전의 연속이다.

'엄마'의 역할을 잠시 내려놓고, 1년 동안 혼자 산다.
나이 많은 남편은 나보다 겪은 세월이 길어서인지 먼저
혼자 살기를 권했다. 아들은 몇 달 전에 독립했고, 딸도 내
년에 대학 졸업하면 독립한단다. 가족 모두에게 독립의 시
간이 주어질 예정이다.

나의 이야기를 한 권의 책으로 담아본 이 경험은 앞으로
내가 계속 글을 쓰는 사람이 될 수 있다는 믿음을 준다.
제주의 사계절을 살아보며 또 한 권의 책을 쓰고 싶다.
백수 생활 2회차!
또 어떤 사람들을 만나고, 또 어떤 이야기가 피어날까.

마지막으로, 내 이야기에 등장한 모든 사람과
책 제작 배우기에 동참하고 지원해 준 이들에게
감사를 전하며.

책, 술, 사람 좋아하는 백수 이야기 끝.

2024. 05. 11. 자기만의 방에서 동백.

『동 백』

instagram.com/camellia.soo.1004